BIENVENUE À...

Wash ington !

Deux villes co monolithique, trouve son identité dans les institutions politiques, sociales et culturelles : c'est la Washington imposante et responsable, celle des monuments et mémoriaux, une capitale consciente de son rôle déterminant dans l'avenir de la nation, mais aussi gardienne de son histoire. La qualité de ses musées n'a d'égal que le poids de ses institutions... Voilà la ville à laquelle on s'attend et que symbolise la blancheur marmoréenne du Capitole, de la Maison-Blanche, rendez-vous des hommes politiques et de pouvoir, ainsi que des mémoriaux qui jalonnent le Mall.

La seconde Washington, en revanche, a une dimension bien plus humaine, celle d'un charme perceptible dans les restaurants d'Adams Morgan, les cafés de Dupont Circle, les bars de Columbia Heights, les boutiques et librairies de Georgetown... Cette Washington vit au rythme des hordes d'étudiants qui affluent chaque automne sur les bancs de ses universités, et des pique-niques qui célèbrent, au printemps, la floraison des cerisiers.

C'est le mélange, souvent inattendu, de ces deux villes – la vision d'une minuscule échoppe de barbier enserrée entre de sévères buildings, le geste du jeune *office worker* se débarrassant, le soir, de sa cravate... – qui donne à la capitale américaine son énergie si particulière et si inspirante. Avec Cartoville, la ville s'ouvre à vous !

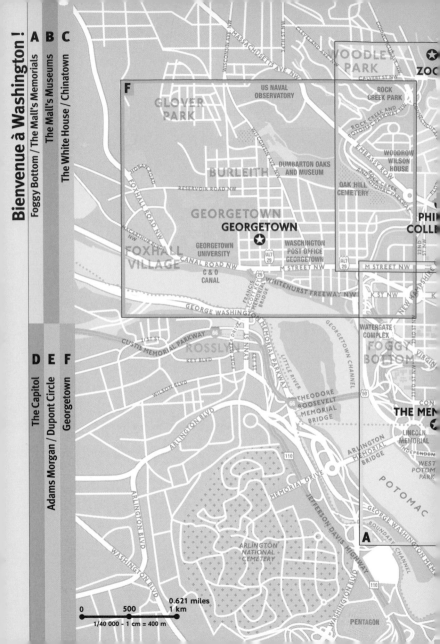

Bienvenue à Washington !

A Foggy Bottom / The Mall's Memorials
B The Mall's Museums
C The White House / Chinatown
D The Capitol
E Adams Morgan / Dupont Circle
F Georgetown

WOODLEY PARK
ZOO
GLOVER PARK
US NAVAL OBSERVATORY
ROCK CREEK PARK
ROCK CREEK AND POTOMAC PARKWAY
EMBASSY ROW
WOODROW WILSON HOUSE
BURLEITH
DUMBARTON OAKS AND MUSEUM
OAK HILL CEMETERY
RESERVOIR ROAD NW
PHI COLL
GEORGETOWN
GEORGETOWN
WASHINGTON POST OFFICE GEORGETOWN
GEORGETOWN UNIVERSITY
C & O CANAL
CANAL ROAD NW
M STREET NW
FOXHALL VILLAGE
WHITEHURST FREEWAY NW
M STREET NW
K ST NW
K
WATERGATE COMPLEX
GEORGE WASHINGTON
FOGGY BOTTOM
CUSTIS MEMORIAL PARKWAY
ROSSLYN
KEY BLVD
LITTLE RIVER
GEORGETOWN CHANNEL
VIRGIN
WILSON BLVD
THEODORE ROOSEVELT MEMORIAL BRIDGE
THE MEM
LINCOLN MEMORIAL
INDEPENDEN
WEST POTOM PARK
ARLINGTON MEMORIAL BRIDGE
ARLINGTON BLVD
POTOMAC
MEMORIAL DRIVE
ARLINGTON NATIONAL CEMETERY
JEFFERSON DAVIS HIGHWAY
GEORGE WASHINGTON ME
WASHINGTON BLVD
BOUNDARY CHANNEL
PENTAGON

0   500   0.621 miles   1 km
1/40 000 - 1 cm = 400 m